Le chat botté

D'APRÈS CHARLES PERRAULT

RACONTÉ PAR ALAIN M. BERGERON *ET ILLUSTRÉ PAR* DORIS BARRETTE

imagine

Dans la même collection :
LES TROIS PETITS COCHONS
illustré par Marie-Louise Gay
LES LUTINS ET LE CORDONNIER
raconté par Gilles Tibo et illustré par Fanny
LE VILAIN PETIT CANARD
raconté par François Gravel et illustré par Steve Beshwaty
BOUCLE D'OR ET LES TROIS OURS
raconté par Dominique Demers et illustré par Joanne Ouellet
JACQUES ET LE HARICOT MAGIQUE
raconté par Pierrette Dubé et illustré par Josée Masse
CENDRILLON
raconté par Andrée Poulin et illustré par Gabrielle Grimard

À paraître :
LE PETIT CHAPERON ROUGE
raconté et illustré par Mireille Levert

Catalogage avant publication de Bibliothèque et Archives nationales du Québec et Bibliothèque et Archives Canada

Bergeron, Alain M., 1957-

Le chat botté (Les contes classiques)
Pour enfants de 4 ans et plus.

ISBN 978-2-89608-051-9

I. Barrette, Doris. II. Perrault, Charles, 1628-1703. Le chat botté. III. Le chat botté. Français. IV. Titre.
V. Collection : Les contes classiques (Éditions Imagine).

PS8553.E674C42 2008   jC843'.54   C2007-942216-0
PS9553.E674C42 2008

Dépôt légal : 2008
Bibliothèque nationale du Québec
Bibliothèque nationale du Canada

Les éditions Imagine
4446, boul. Saint-Laurent, 7ᵉ étage
Montréal (Québec) H2W 1Z5
Courriel : info@editionsimagine.com
Site Internet : www.editionsimagine.com

Imprimé au Québec
10 9 8 7 6 5 4 3 2 1

Conseil des Arts   Canada Council
du Canada   for the Arts

Société
de développement
des entreprises
culturelles
Québec

Nous remercions le Conseil des Arts du Canada de l'aide accordée à notre programme de publication.
Gouvernement du Québec – Programme de crédit d'impôt pour l'édition de livres
Gestion SODEC – Programme d'aide aux entreprises du livre et de l'édition spécialisée.
Nous reconnaissons l'aide financière du gouvernement du Canada par l'entremise
du Programme d'aide au développement de l'industrie de l'édition (PADIÉ) pour nos activités d'édition.

À tous les chats bottés de cette Terre. Puissent-ils
trouver leur propre marquis de Carabas...
Alain M. Bergeron

À maître Bernard
Doris

Il était une fois un pauvre meunier qui avait trois fils. À sa mort, les trois seuls biens du meunier furent partagés entre ses enfants. Le plus vieux eut le moulin et le deuxième hérita de l'âne. Quant au troisième, il ne reçut pour tout héritage qu'un… chat ! Étonnés, les deux aînés se moquèrent de celui qu'ils avaient cru être le favori de leur père. Ils lui suggérèrent de manger le chat et de faire un capuchon de sa peau.

— Que vais-je devenir, maintenant ? confia le benjamin
à son chat, les larmes aux yeux.

Conscient du malheur de son maître, le chat se dressa
sur ses pattes de derrière.

— Procurez-moi un sac, une paire de bottes
et des vêtements. Et faites-moi confiance !

Le jeune homme acquiesça à cette demande
surprenante. Il savait que le chat était
un redoutable chasseur. Il se souvenait
l'avoir vu attraper des souris dans
le moulin en se pendant par
les pattes ou en faisant le mort,
tapi dans la farine.

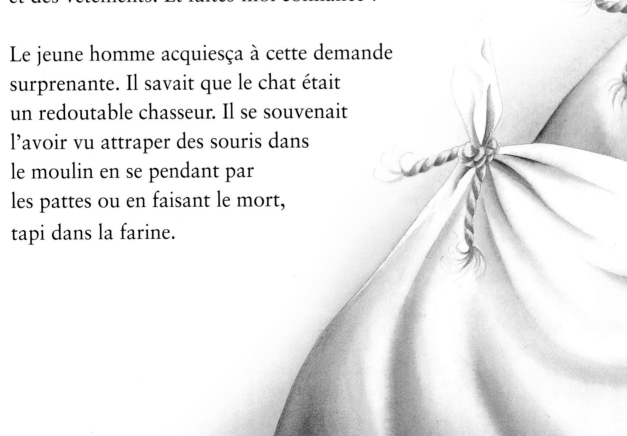

Dès qu'il fut botté et vêtu, le chat partit
en chasse. Il abandonna son sac dans lequel
il avait glissé une feuille de laitue et se cacha
dans les herbes hautes. Attirés par ce repas facile,
deux lièvres tombèrent tête première dans le piège.

Le chat botté se précipita au château du roi.
Il annonça aux gardes :

— Messires, j'ai un présent pour notre souverain.

Impressionnés par la prestance du visiteur,
les gardes le conduisirent aux appartements
de Sa Majesté.
Le chat botté s'inclina devant le roi et lui fit
cadeau du gibier de la part de son maître.

— Et quel est son nom ? s'enquit le roi.
Le chat inventa un nom et un titre pour le fils
du meunier.

— Le marquis de Carabas, répondit-il.

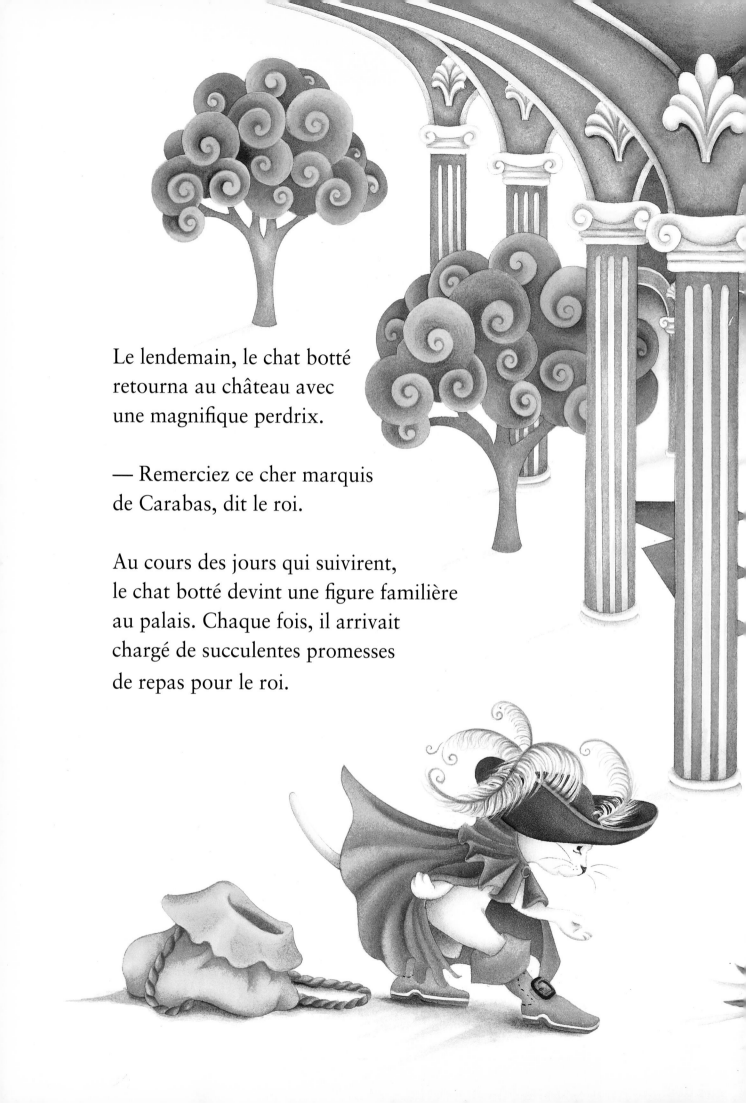

Le lendemain, le chat botté
retourna au château avec
une magnifique perdrix.

— Remerciez ce cher marquis
de Carabas, dit le roi.

Au cours des jours qui suivirent,
le chat botté devint une figure familière
au palais. Chaque fois, il arrivait
chargé de succulentes promesses
de repas pour le roi.

Un matin, le chat botté pressa son maître
de le suivre. Il avait appris que le roi, la reine
et leur fille se préparaient à partir en promenade
à travers la campagne.

Lorsqu'il aperçut la rivière qui longeait la route,
le chat ordonna au fils du meunier de se déshabiller
et de se baigner.

À l'approche du carrosse royal, le chat botté
dit encore à son maître :

—Vite ! Faites semblant de vous noyer !

Le jeune homme plongea sa tête sous l'eau
et agita les bras.

— Au secours ! cria le chat botté en courant vers
le carrosse. Mon Maître se noie !

Le roi reconnut alors le chat qui lui avait apporté
de si délicieux cadeaux et somma ses gardes de retirer
le pauvre homme de la rivière.

Le chat botté signala au roi que des voleurs
s'étaient emparés des habits de son maître, mais,
en vérité, c'était lui qui les avait cachés sous une pierre.

— Que l'on prête au marquis des vêtements
dignes de son rang, commanda le roi.

Le jeune homme enfila un somptueux costume.
Puis, il fut invité à monter dans le carrosse.

Lorsque le roi lui présenta sa fille, le cœur
du marquis de Carabas se mit à battre
plus rapidement. Jamais encore
n'avait-il vu une princesse
si éblouissante !

Pendant ce temps, le chat botté courait devant. Il s'arrêta devant un groupe de paysans occupés à faucher les blés.

— Écoutez-moi bien, leur cria-t-il. Lorsque le roi passera tout à l'heure et qu'il voudra savoir à qui appartiennent ces champs, vous lui direz : « Au marquis de Carabas ! »

Devant les hésitations des paysans, le chat botté insista :

— Si vous m'obéissez, vous deviendrez bientôt propriétaires de ces terres. Sinon, vous serez hachés menu comme chair à pâté !

Quand le roi vint à passer et qu'il leur demanda à qui iraient les récoltes de ces magnifiques champs de blé, les paysans répondirent d'une seule voix :

— Au marquis de Carabas, Votre Majesté !

Le roi fut agréablement surpris devant la richesse des terres de son invité. Un peu plus loin, le roi s'arrêta devant un champ d'orge qui s'étendait jusqu'à l'horizon. De nouveau, il interrogea les paysans et il obtint la même réponse :

— Ce champ appartient au marquis de Carabas.

En fait, ces champs étaient la propriété d'un ogre. L'horrible géant exploitait depuis longtemps ce pauvre peuple qui avait peine à se nourrir.

L'ogre habitait
un château immense
dont les tours perçaient
les nuages. Le chat botté
s'avança à la grille et réclama
de voir le seigneur des lieux
pour lui rendre hommage.
Les gardes le guidèrent jusqu'aux
quartiers de l'ogre.

Le chat botté s'inclina devant
l'imposant souverain.

— On m'a confié, noble seigneur,
que vous aviez le pouvoir de vous
transformer en quelque créature
de ce monde, ce que je tiens pour
impossible, avec tout le respect
que je vous dois.

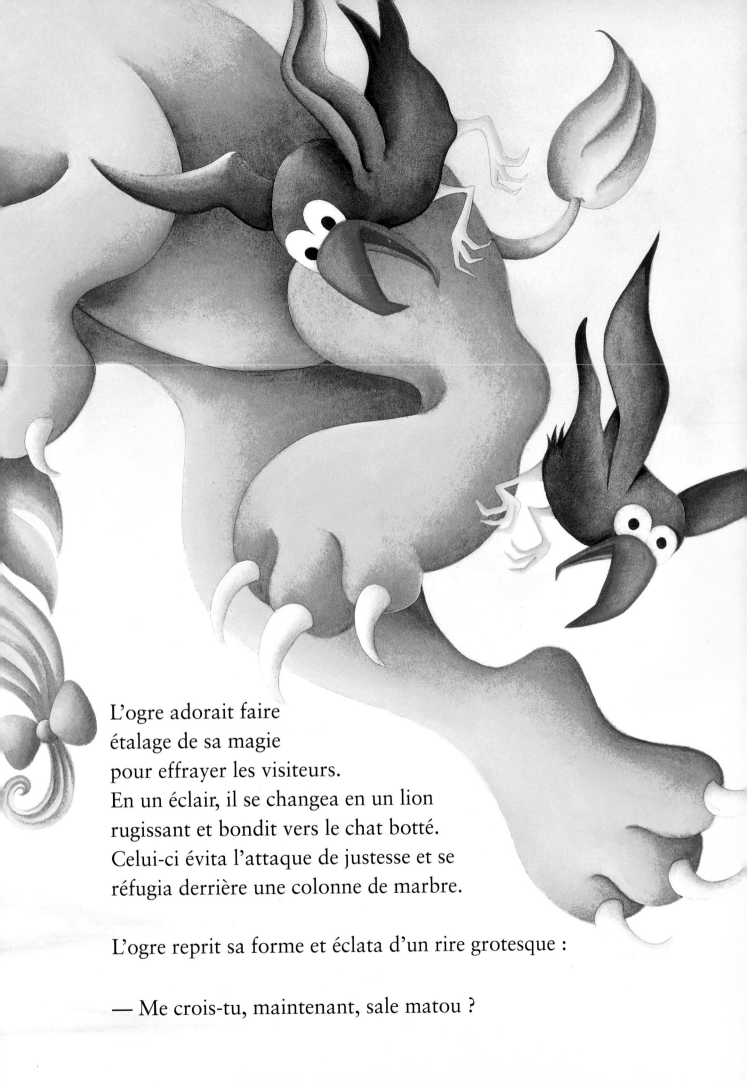

L'ogre adorait faire
étalage de sa magie
pour effrayer les visiteurs.
En un éclair, il se changea en un lion
rugissant et bondit vers le chat botté.
Celui-ci évita l'attaque de justesse et se
réfugia derrière une colonne de marbre.

L'ogre reprit sa forme et éclata d'un rire grotesque :

— Me crois-tu, maintenant, sale matou ?

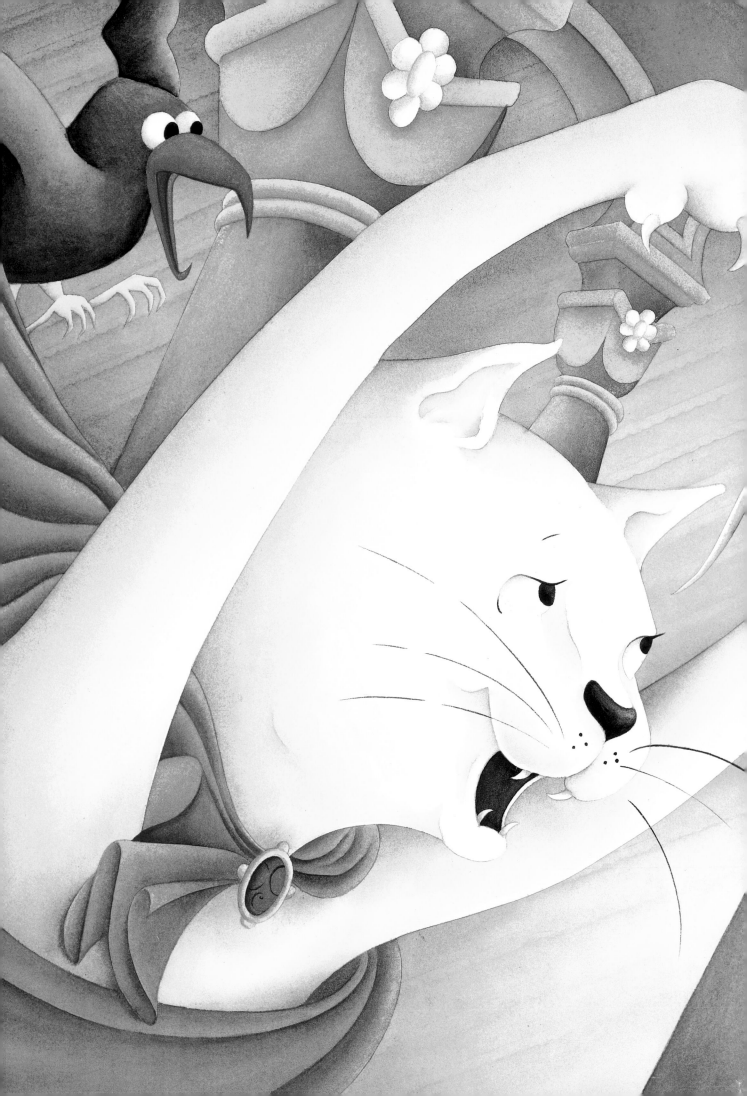

S'approchant avec
précaution de l'ogre,
le chat botté le défia à nouveau :

— Mes yeux ont bien vu ce prodige,
messire. Mais on m'a raconté que
vous pouviez également vous faire aussi
discret qu'une petite souris. Je n'ai pas
osé y croire, sans vouloir vous offenser…
L'ogre détestait que l'on ose mettre en doute
ses pouvoirs. Furieux, il se métamorphosa en…
une toute petite souris.

Le chat, qui n'attendait que cette chance, s'élança
toutes griffes dehors et n'en fit qu'une bouchée.

Dissimulé dans un coin, un serviteur de l'ogre fut témoin de la scène. Le chat botté l'aperçut et l'avertit :

— Le nouveau maître des lieux est le marquis de Carabas. Qu'on se le dise !

La nouvelle se répandit à la vitesse du vent. Les habitants se rendirent immédiatement au château pour manifester leur joie d'être libérés du tyran. Lorsque le carrosse royal fit son entrée, ils accueillirent le marquis de Carabas comme un héros.

— Vive notre Maître ! cirait la foule en liesse.

La fierté du marquis de Carabas était immense. Pour la première fois, il osa soutenir le tendre regard de la princesse et lui sourire. Le marquis demanda au roi la main de sa fille.

Le mariage fut célébré un mois plus tard. Les paysans, devenus propriétaires de leurs terres, assistèrent à la cérémonie.

Les frères du marquis arrivèrent au palais à dos d'âne. Ils comprirent que leur petit frère avait reçu la meilleure part de l'héritage : un chat botté… et futé !

Fin